Dona Júlia

Filinto de Almeida

Poemas

Vermelho Marinho
Rio de Janeiro
2023

Editor chefe
Tomaz Adour

Design
Light Criacão
Ilustrações
Hermes Ursini
Diagramação
Carlos Borges Jr

Revisão e Preparaçãode texto
Equipe Vermelho Marinho

Texto revisado e atualizado conforme
definições do novo Acordo Ortográfico
da Língua portuguesa de 2009

Dados Internacionais de Catalogação na Publicação (CIP)
Fabio Osmar de Oliveira Maciel – CRB-7 6284

A447h

Almeida, Júlia Lopes

Dona Júlia / Júlia Lopes de Almeida. – 1. ed. –
Rio de Janeiro: Vermelho Marinho, 2023.

88 p. ; 21 cm.

ISBN 978-85-8265-347-0

1. Poesia brasileira I. Título.

689-061-23 CDD : 869.91

Índice para catálogo sistemático:
1. Poesia : Literatura Brasileira 869.91

VERMELHO MARINHO

Editora Vermelho Marinho Usina de Letras Ltda Rio de Janeiro
Departamento Editorial Avenida Gilka Machado, 315-bloco2-casa 6
Recreio dos Bandeirantes - Rio de Janeiro - RJ CEP 22795-5670
www. editoravermelhomarinho.com.br

Dona Júlia

Filinto de Almeida
Da Academia Brasileira de Letras

Vermelho Marinho
Rio de Janeiro
2023

Aos meus filhos

Aos meus netos

À irmã sobrevivente, Alice Lopes Campeão

A todos, parentes e amigos que a amaram,
a prezaram, a admiraram

E, especialmente,
a Virgínia Gomes Leitão, sua prima-irmã,

Ofereço e dedico

Este livro de
DONA JÚLIA
(Que não está exposto à venda).

F. A.

Maio, 1938

EM VIDA
DE D. JÚLIA

PREFÁCIO

Claudio Lopes de Almeida, neto de Júlia e Filinto

O AMOR DE FILINTO POR DONA JÚLIA

O Livro "Dona Júlia" retrata em forma de sonetos todo o sofrimento do poeta Filinto de Almeida com a perda de sua amada esposa, a famosa romancista Júlia Lopes de Almeida.

O extremo amor de Filinto por Júlia ficou visível desde que ficaram noivos.

Conheciam-se literariamente pela remessa das crônicas que ela lhe enviava para serem publicadas na revista "A Semana", do Rio de Janeiro, da qual Filinto era diretor, e pelas poesias que Filinto lhe mandava em troca para Campinas.

Conheceram-se pessoalmente nas poucas vezes em que Júlia ia à "A Semana" tratar de assuntos de redação.

Certo dia, Filinto aceitou o convite para um chá da tarde na casa de Adelina, onde estava sua irmã Júlia; foi então que seus corações se encontraram.

Não demorou muito para que o namoro acontecesse e em seguida o noivado, tudo rapidamente pois Júlia teve de acompanhar sua família, que ia morar em Lisboa.

O apaixonado Filinto, então, escreveu lindos versos para expressar o imenso amor e a imensa saudade que sentia de sua amada noiva. O livro "Lyrica", que publicou pouco depois de ficar noivo e um ano antes de se casar, retrata poeticamente a história desse amor incomensurável.

Desde o casamento em 1887 em Lisboa, até à morte inesperada de Júlia em 1934, quase 50 anos, nunca se separaram. Uma vida conjugal completa. Muitos filhos, muita literatura, muitos saraus e muitas viagens, sempre juntos. Os netos mal conheceram a "vovó Júlia" pois ela morreu prematuramente de malária oito dias depois de retornar de sua viagem à África, onde fora ajudar sua filha Lucia que voltava ao Brasil com suas duas filhinhas e o marido.

O grande amor que unia o casal é evidenciado também por cronistas e pelos relatos dos seus filhos.

Em entrevista concedida a João do Rio, em 1904, Júlia diz que – ***"o melhor livro que escrevi foi a "Casa Verde", publicado em folhetins semanais ...** "**porque foi escrito de colaboração com meu marido.**"

– "A Casa Verde lembra-me uma porção de momentos felizes."

– "Imagina eu fazendo romances! – exclama Filinto. ***– Era porque ela queria. Também só me sentava à mesa depois que me dizia: tem que fazer um capítulo hoje com estes personagens, dando-lhes este desenvolvimento."***

Ainda sobre a entrevista de João do Rio e o amor do casal:

-"***Há muita gente que considera D. Júlia a primeira romancista brasileira."***

-"Pois não é? Nunca disse isso para ninguém, mas há muito que penso. Não era eu quem devia estar na Academia, era ela."

João do Rio entendeu que o dito do Filinto saiu do coração:

-"Esse sentimento de mútua admiração é um dos encantos daquele lar. Filinto esquece seus versos e pensa nos romances da esposa....é o seu primeiro leitor...."

Na vida real, quem conhece a biografia de Filinto sabe que ele estava entre o primeiro grupo de escritores, poetas e intelectuais a cogitar a formação de uma Academia.

Filinto não entrou para ela em compensação pela não entrada da Júlia, como consta da lenda. Entrou pelos seus méritos próprios.

Filinto concedeu também uma longa entrevista ao "Programa literário de Alvaro Salgado do Ministério da Educação – Serviço de Rádio Difusão Educativa" (1940)

Nessa entrevista, Álvaro Salgado sublima o amor do Poeta, então viúvo, por Júlia.

– "O amor, a dedicação de Filinto de Almeida por D. Júlia era qualquer coisa de sublime, inexprimível, nestes dias de egoísmo dos homens. Só uma alma de poeta poderia amar com a intensidade, a elevação desse sentimento profundo, invariável, tenaz, manso e doce.

Foram tão felizes aqueles dois intelectuais, como não houve outro par que melhor se amasse, melhor se compreendesse.

Filinto, simples, modesto, tão grande em seu amor, fazia-se obscuro, pequeno, a fim de que ela o suplantasse mais e mais..."

Álvaro Salgado recorda um trecho da entrevista concedida a João do Rio em que Filinto comenta que todos os quatro filhos fazem versos:

– "Esta casa está perdida, fazem todos versos, são todos poetas, o menos poeta sou eu..."

" ...o menos poeta sou eu...", doce mentira do mestre, cujo orgulho eram a mulher e aqueles filhos.

Claudio Lopes de Almeida
(neto de Júlia e Filinto)
Rio de Janeiro, outubro de 2021

BOX JULINTO: APRESENTAÇÃO

Anna Faedrich

Esse sentimento de mútua admiração é um dos encantos daquele lar. Filinto esquece os seus versos e pensa nos romances da esposa. Leva-a a certos trechos da cidade para observar o meio onde se desenvolverão as cenas futuras, é o seu primeiro leitor, ajuda-a com um respeito forte e másculo. D. Julia ama os versos do esposo, quer que ele continue a escrever, coordena o volume prestes a entrar no prelo. E ambos, nessa serena amizade, feita de amor e de respeito, envolvem os filhos numa suave atmosfera de bondade.

João do Rio
O momento literário (1908)

Neste Box Julinto, a editora Vermelho Marinho reúne obras da notável escritora Júlia Lopes de Almeida (Rio de Janeiro, 1862-1934) e de seu marido, o poeta e dramaturgo Filinto de Almeida (Porto, 1857 - Rio de Janeiro, 1945). *Ânsia eterna*, de Júlia, *Dona Júlia*, de Filinto, e *A casa verde*, assinado por A. Julinto (junção de Júlia e Filinto), compõem esta coleção. O casal Julinto – como se autodenominavam – marcou a cena literária carioca da *Belle Époque*. Em seu casarão no bairro Santa Teresa, ofereciam os celebrados saraus do "Salão Verde", onde recebiam grandes nomes da literatura. Ambos participaram da idealização da Academia Brasileira de Letras, embora somente Filinto tenha se tornado imortal, na cadeira de número 3. Por ser mulher, Júlia não figurou no panteão dos acadêmicos, mas também nunca se manifestou a respeito da exclusão. Decorreram oitenta anos para uma escritora poder se candidatar a uma vaga e entrar na ABL, caso de Rachel de Queiroz em 1977. Vale notar que a proibição de mulheres não era uma decisão unânime. Filinto e outros acadêmicos, como Lúcio de Mendonça e Valentim Magalhães, se opunham à restrição. Em entrevista a João do Rio, Filinto lamenta que a maior romancista do país esteja fora da Academia:

— Há muita gente que considera D. Júlia o primeiro romancista brasileiro.

Filinto tem um movimento de alegria.

— Pois não é? Nunca disse isso a ninguém, mas há muito que o penso. Não era eu quem devia estar na Academia, era ela.

Rumores há sobre a mediocridade da poesia de Filinto e sobre sua entrada no lugar da esposa como uma "gentileza compensatória". Fernando Jorge anota que Filinto recebeu a alcunha de "acadêmico consorte": "Lá vem 'O Acadêmico Consorte', que como poeta está sem sorte...", dizia Carlos de Laet ao ver Filinto[1]. Claudio Lopes de Almeida, neto do casal, tem interpretação diversa. Alega que Filinto gozava de prestígio e influência à altura de sua vaga na ABL. Para Claudio, o avô não entrara *no lugar* de Júlia, pois os dois integrariam à Academia. É inegável a notoriedade do poeta, basta folhear exemplares dos periódicos da época para comprová-la. Nos registros da filha Margarida, consta a sua posição de destaque na Literatura Brasileira após publicar *Lyrica*: "O livro teve imenso sucesso, o que lhe facilitou ser escolhido para ir acompanhar em Lisboa a impressão dos *Anais da Câmara dos Deputados de São Paulo*, trabalho que, naquela época, não podia ser feito no Brasil. A bordo, aproximando-se da terra em que nascera, mas que deixara aos nove anos de idade, extravasava em versos a sua ansiedade"[2]. A obra de Filinto acabou esquecida. Ao trazer à

1 JORGE, Fernando. *A Academia do fardão e da confusão.* A Academia Brasileira de Letras e os seus "imortais" mortais. São Paulo: Geração Editorial, 1999, p. 25.

2 ALMEIDA, Margarida Lopes. Biografia de Dona Julia. In: ALMEIDA, Julia Lopes. O funil do diabo. Organização e introdução Zahidé Lupinacci Muzart. Florianópolis: Ed. Mulheres, 2015, p. 193.

luz *Dona Júlia* abre-se espaço para análise e consideração de seus sonetos, bem como um juízo mais independente de sua qualidade, ao contrário das avaliações forjadas nos círculos de relações da época e reproduzidas ainda hoje sem o devido exame.

Júlia Lopes de Almeida é uma entre tantas escritoras que tiveram sucesso no período da *Belle Époque* brasileira, mas cuja obra foi desvanecendo nos registros literários posteriores. Não havia razão de ser assim. Para a crítica literária Lúcia Miguel Pereira (1901-1959), a autora de *Ânsia eterna* é "a maior figura entre as mulheres escritoras de sua época, não só pela extensão da obra, pela continuidade do esforço, pela longa vida literária de mais de quarenta anos, como pelo êxito que conseguiu com os críticos e com o público; todos os seus livros foram elogiados e reeditados, vários traduzidos, sendo que se consumiu em três meses a primeira tiragem de *Família* Medeiros"[3]. Felizmente, a obra de Júlia tem sido reeditada, estudada e recobra gradualmente espaço no rol dos escritores canônicos. Romancista de mão cheia, os romances de Júlia foram publicados em folhetim com invejável repercussão. Escreveu peças teatrais, alguma delas encenadas no Teatro Municipal do Rio de Janeiro, crônicas, publicadas na coluna semanal "Dois dedos de prosa" no jornal *O Paiz*, e textos voltados para o público infantil, desempenhando papel importante neste gênero literário junto com sua irmã, a poeta Adelina Lopes Vieira (1850-1923).

No livro de contos *Ânsia eterna*, o prazer da leitura está garantido. O domínio e maestria da escrita caracterizam o estilo literário inconfundível de Júlia, bem como a variedade e a ousadia temáticas. Ao mesmo tempo em que os contos pincelam a sociedade patriarcal do início do século XX, há ainda atualidade nos temas: feminicídio; abusos, estupro e violência doméstica; gravidez; maternidade; preconceitos diversos, conservadorismo e "bullying"; submissão feminina; desigualdades de gênero. Sua obra dá protagonismo às mulheres e esbanja estratégias de ficcionalização dos perfis femininos. Os contos abordam temas polêmicos, criticam e

3 PEREIRA, Lúcia Miguel. *História da Literatura Brasileira:* prosa de ficção (de 1870 a 1920). Belo Horizonte: Itatiaia; São Paulo: Editora da Universidade de São Paulo, 1988, p. 260.

denunciam as intempéries vividas pelas mulheres em sua diversidade, e contém desfechos frequentemente desconfortáveis ao leitor. A imprevisibilidade é capaz de arrebatar e emudecer o(a) leitor(a). A escrita de Júlia é esperta e traiçoeira, pois parece conduzir por caminhos de interpretação seguros, até que nos surpreende pela quebra repentina de expectativa. Você não sairá indiferente após a leitura de "Os porcos", por exemplo. Ainda mais quando se sabe que o caso não é pura imaginação, mas uma história que Júlia ouvira na fazenda: "Os homens do mato são em geral maus. A narração era feita com indiferença, como se fosse um fato comum. Horrorizou-me"[4]. Alguns contos se inscrevem na vertente do fantástico e na tradição gótica; brincam com o sobrenatural. Mas quando convencidos de se tratar de uma boa ficção de horror, a narração nos puxa para um realismo estarrecedor.

Filinto de Almeida foi poeta, dramaturgo, tradutor, jornalista e apaixonado por Júlia Lopes de Almeida. A coletânea de sonetos *Dona Júlia* contida neste box foi publicada em 1938, quatro anos após o falecimento da esposa. O livro não foi exposto à venda – "Não, não são para o público estes gritos, / Estes soluços e lamentações"[5] – por isso, a circulação da obra é inédita. Filinto encarna o "Poeta da Dor" e registra em versos seu pranto. Trata-se de uma ode ao amor e a elegia de um viúvo arrebatado pela perda irrecuperável. O livro é dividido em duas partes: "Em vida de D. Júlia", composta por três poemas anteriores à morte de Júlia – "Excelsa" (1908), "No seu dia" (1913) e "O que tu és" (1932); e "Dona Júlia", com 60 poemas-luto. A leitura nos dá a medida da força dos vínculos de uma vida conjunta por quase 50 anos. Em carta a Filinto, Cecília Meireles registrou sua admiração por Júlia e a comoção com os versos do poeta desolado: "Com a mais viva emoção, li os formosos sonetos de *Dona Júlia*. Não poderia haver homenagem mais justa e mais enternecedora àquele belíssimo espírito que

4 RIO, João do. *O momento literário*. Fundação Biblioteca Nacional: Departamento Nacional do Livro. Disponível em: <http://www.dominiopublico.gov.br/download/texto/bn000134.pdf>. Acesso em: 7 jul 2021.

5. Primeiros versos do poema "Pórtico", de Filinto de Almeida, em *Dona Julia* (1938, p. 15).

estes seus versos impregnados de tão religiosa devoção. E eu, que sempre a venerei com o mais doce carinho, sinto a minha saudade feliz, vendo-a altamente imortalizada na sua poesia".

Romance escrito a quatro mãos, *A casa verde* era o preferido de Júlia, por ter sido escrito com o marido e lembrar "uma porção de momentos felizes". O título é uma referência à casa que compõe o cenário do romance, situada em Niterói, com as paredes revestidas de heras e uma figueira imensa no jardim. Daí a cor verde, que representa também o apreço de Júlia pela ecologia, sobretudo pelas árvores frutíferas (um de seus livros se intitula *A árvore*). É possível que o leitor sinta alguma familiaridade com o título, pois anos antes uma "casa verde" aparecia em *O alienista* (1882), de Machado de Assis, espaço para abrigar os loucos de Simão Bacamarte. A casa verde de Julinto possivelmente alude ao salão verde do casarão de Santa Teresa, espaço dos saraus literários, que recebeu este apelido por ficar no jardim.

O romance inicia com uma tendência ao horror: "Dizia a lenda que naquele sítio fora assassinada uma mulher, que o marido enterrara ainda agonizante, plantando-lhe sobre a sepultura uma cruz feita com um galho verde de figueira brava. Fora dessa cruz tosca, fincada na terra pela mão de um pecador, que tinha rebentado a árvore que ali estava agora, imensa e tenebrosa". A casa era vista como assombrada por todos, menos por seu comprador, o inglês Mr. Lane, cuja racionalidade não permitia acreditar em almas penadas: "Só a peso de ouro os operários consentiram em pernoitar nas obras como vigias; mas nunca sozinhos. Um deles afirmava ter visto pelas madrugadas uma mulher chorando, encostada à figueira. Outro sentira alisar-lhe o rosto mãos finas e geladas, em carícias lentas. Mr. Lane não os ouvia".

A história gira em torno de Mr. Lane e sua filha Mary, órfã da mãe baiana. Uma série de intrigas e peripécias se desenrolam em narrativa fluida, bem escrita e gostosa de se ler! Assim como nas comédias de Molière, salvo o fato de não provocar riso, o leitor não fica ileso às tramas e aos golpes do vilão, nem aos encontros e desencontros amorosos, tamanha a vontade de interagir com a narrativa. Outra semelhança é o tom crítico aos costumes conservadores e machistas da época, que levavam as mulheres insubordinadas ao desfecho trágico.

Reeditar *Ânsia eterna*, *Dona Júlia* e *A casa verde* é trazer ao público-leitor a chance fruir uma literatura envolvente – nos três gêneros literários: conto, poesia e romance –, e passear pela atmosfera moderna do início do século XX com um dos casais mais queridinhos da *Belle Époque* carioca. Vida longa a iniciativas como esta da Vermelho Marinho, que redescobrem e ampliam a difusão de autores esquecidos e dão ensejo a reescritas mais abrangentes e menos enviesadas da história da literatura brasileira.

Anna Faedrich

Em vida de Dona Júlia

EXCELSA

Quando penso que és minha, eu estremeço
De grande e íntimo orgulho e de alegria
Sei que tu és um bem que eu não mereço...
Mas nenhum homem te mereceria.

Porque me coube um prêmio de tal preço,
A mim, tão imperfeito e sem valia?
Benigna sorte dadivosa e pia,
Magnânima fortuna, eu te agradeço!

Luz da bondade, fonte cristalina
Da virtude e do bem, que o bem sugeres,
Alma que em tudo é rara e peregrina;

Bendita sejas tu, que bem me queres,
Pelo tempo dos tempos, oh divina,
Oh única mulher entre as mulheres!

1908 *(Dos "Cantos e Cantigas)*

NO SEU DIA

Que me importa se mais um ano passa
Sobre a tua cabeça resplendente!
A meus olhos o tempo irreverente
Não te alterou a juventude e a graça.

A neve, em flocos, sobre nós esvoaça,
Mas não atinge o coração e a mente.
Como a primeira vez, de amor fremente
Ainda na tua a minha mão se enlaça.

E há de ser sempre assim, mau grado enganos
E tristezas da Vida, que este gozo
É o derradeiro bem que eu lhe reclamo.

Quando tivermos cem, mais de cem anos,
Ainda tu me ouvirás dizer-te, ansioso,
"Minha doce velhinha, eu te amo, eu te amo!

1913

O QUE TU ÉS

Nunca pensei, nunca pensei, querida,
Que alguém pudesse amar por toda a vida,
Constantemente, assim, perpetuamente,
Mas só a espaços, como toda a gente.

Será porque a palavra repetida
Me vem à boca, ansiosa e comovida,
A mesma sempre, em vibração veemente,
Palpitante, espontânea, renascente?

Não! Palavras, bem sei, leva-as o vento.
Certo de ti me vem ao sentimento
Esta vitalidade e esta energia;

Porque tu és Poder, Graça, Excelência;
Porque em todos os lances da existência
És Singularidade e és Harmonia.

São Paulo.
17/05/32

DONA JÚLIA

PÓRTICO

Não, não são para o público estes gritos,
Estes soluços e lamentações:
O pudor da aflição veda aos aflitos
Que mostrem a alma nua às multidões.

Quando sejam com lágrimas escritos,
Sonetos, elegias ou canções,
Confinem-se nos círculos restritos
Dos íntimos e amigos corações.

Estes versos, da minha angústia fi-los,
E não pude sem lágrimas fazê-los;
Não são pois espíritos tranquilos.

Sá as almas em pena devem lê-los,
Só os que gemem de dor podem ouvi-los,
Só os corações feridos entendê-los.

Poços de Caldas
18/03/37

AOS LEITORES

Perdoai, meus amigos, se vos dou
Os ressaibos da dor em que ora vivo,
Ecos desta aflição, não lenitivo
Do sofrimento que me aniquilou.

É o começo do fim que já chegou...
Do Destino ao decreto imperativo
Inerte não me entrego nem me esquivo,
Mas clamo pelo bem que me levou.

E era tão grande o bem, tão puro e santo!
Meu guia, meu santelmo, meu perdão,
Glória da minha vida e seu encanto.

Tudo acabou. Ficou-me esta paixão,
Esta angústia perene do meu pranto,
Sangue do retalhado coração.

20/10/34

CINZA

Ferve em minha cabeça a lava de um vulcão
E ao seu calor crepita e fulge a fantasia,
Mas não chega a aquecer a cinza fria
Que me caiu no coração.

E é no fumo dessa tardia ebulição
Que vou plasmando as várias formas da Poesia,
Para talvez durarem um só dia
Serôdio fruto de um ancião.

Assim, faço da angústia uma ilusão de gozo,
Contra o querer dos meus fados adversos
Ou de algum nume rancoroso...

E por isso eis de achar nestes poemas dispersos
– Fachos de um fim de vida desditoso
Sabor de cinza nos meus versos.

26/09/35

A TI

Aqui fiquei para louvar-te, embora
Melhor te louve esse a quem deste a vida,
Primogênito nosso, sempre fora,
Sempre longe do nosso olhar, querida.

Se a minha velha lira não melhora
E a canção, sempre a mesma, é repetida,
Nova lira virá, voz mais sonora
Para exalçar teu nome, comovida.

Por mim, amor, voz empapada em pranto,
Velho poeta menor de parco engenho,
Dou-te o resto da vida no meu canto;

Dou-te, cantor octogenário e rouco
Tudo que posso dar: tudo que tenho...
Perdoa, minha amiga, se é tão pouco.

01/08/37

AMBOS

Meu amor, meu amor! Como se deu
Esta desgraça e se truncou a vida
De ambos nós, de ambos nós, minha querida?
E qual foi, afinal, o que morreu?

Não sei se foste tu ou se fui eu...
Pois se tu foste a desaparecida,
Eu senti a existência interrompida
E o teu sofrer não foi maior que o meu.

Íamos de braço dado, entreamparados,
Amando e trabalhando sem rumor,
Numa só vida unidos e enlaçados.

Apartou-nos agora o extremo horror:
E na morte e na vida sepultados,
Somos hoje dois mortos, meu amor.

DESPERTANDO

Ai, desde que morreu minha ventura
E se acabou toda a felicidade,
Eu vivo só, na rua da Amargura,
No doloroso bairro da Saudade.

Não há sol, não há luz nesta cidade
E já ninguém habita esta planura!
Porque desaparece a humanidade
E cada dia é como noite escura?

Hoje tudo é silente e é tudo findo?
Mas neste mundo havia alguém cantando
E um lar, ao menos, sonoroso e lindo...

Veja agora que estive, miserando,
Perto de cinco décadas dormindo
E quase meio século sonhando.

VENDAVAL

Nesta árvore alta, em que o cipó se entrança,
Erguida um pouco à margem do caminho,
Num dia de triunfo e de esperança,
Fez um casal de pássaros o ninho.

E ao rude vento, como à brisa mansa,
Não se alterava o brando murmurinho.
Corria a vida em plácida bonança,
Entre cantos de amor e de carinho.

Mas um dia, penúltimo de maio,
A ela, a pobre, fulminou-a o raio
E ele, o triste, ficou cego e sozinho.

Perpetuou-se para ele a tempestade,
Nesse dia de dor e de saudade,
Quebrou-se o galho, espedaçou-se o ninho.

28/12/34

SÓ

No silêncio da casa, desertada,
Pelo seu gênio tutelar supremo,
Eu impreco, eu contorço-me, eu blasfemo
E abafo os gritos da alma torturada.

Fora, ouvem-me cantar, mesmo se eu gemo,
Se a minha voz soluça estrangulada;
Porque os cantos que entoo, oh bem amada,
São todos vozes do infortúnio extremo.

Só quem perdeu da vida a graça e o gozo,
E se angustia a sufocar o pranto,
E não tem lenitivo nem repouso,

Nem vê mais que terror e mágoa e espanto,
Só esse pode perceber, piedoso,
Que é composto de gritos o meu canto.

31/01/35

FUNESTA VISITA

Guiar-me procurei, desde menino,
Na rota de um ideal bem alto posto
E embora sempre a custo erguido o rosto,
Avancei como afoito peregrino.

Da Vida às trevas solitário exposto,
Eis me pus a cantar à Vida um hino;
Julguei ter dominado o meu destino
E os seus limites afinal transposto.

Por quê? Porque tu estavas ao meu lado.
Tudo era grande, tudo iluminado,
E eu cri, da Vida, na ventura imensa.

Mas veio a Morte e entrou no nosso abrigo
E num momento me levou, contigo,
A última luz, a derradeira crença.

26/12/34

CINZA ARDENTE

Hoje vivo da dor que me atormenta,
Pois é por ti somente que a suporto.
Que me fira e esfacele não me importo,
Porque me esvai a um tempo e me alimenta.

Dor terebrante (seria tenebrante), síntese incruenta
Do sofrimento humano, ansioso a exorto
E aos tempos da ventura me transporto
Pata tê-la maior e mais violenta.

Sem amor, meu amor, que vale a vida?
E amor é ainda esta infindável mágoa
De si mesma, hora a hora, renascida.

E a cinza da inextinta frágua
que me envolve a saudade dolorida,
É que me enxuga os olhos rasos de água.

19/10/34

SOBRE RUÍNAS

Tu eras a muralha alta e florida,
Um parapeito de estrutura rara,
Assente ao centro de viçosa seara
De pedras preciosíssimas erguida:

E eu, alma num vórtice perdida,
A quem a boa sorte vela e ampara,
Em ti, confiante e provido, apoiara
O castelo de sonhos desta vida.

Mas veio um dia um vendaval medonho
E fez ruir o místico santuário,
O castelo mirífico do Sonho.

E eu, de pé, com o assombro nas retinas,
Fiquei, triste fantasma solitário,
Sobre um montão de escombros e ruínas.

02/06/35

PELAS RUAS DA CIDADE

É curioso! Quando tu vivias,
Desde a nossa distante mocidade,
Eu via, com prazer, todos os dias,
Enxamearem mulheres na cidade.

E eu via-as sempre, e também tu as vias,
Como flores de imensa variedade,
Ou aves a voejar em liberdade,
Vivas, esbeltas, belas e sadias.

E que lindo espetáculo era este,
Meu amor!... Mas depois que tu morreste
Velou-as uma escura e densa bruma.

Ou desapareceram de tal sorte
Como se a todas as levara a morte...
E o fato é que hoje não há mais nenhuma!

09/09/35

SÓ AGORA

Mais de uma vez entrou em nosso lar
A mão da Morte a arrebatar-nos vidas.
E profundas saudades doloridas
Foi o que ela deixou em seu lugar.

E dores, e saudades, e feridas
Dentro de nós ficaram a sangrar,
Até que o tempo as pôde transformar
Em mágoas por nós ambos repartidas.

Dor, Saudade... E eu assim pude supor
Que bem lhes conhecia a crueldade...
Mas um dia perdi-te, meu amor,

E perdi tudo. E em minha soledade
É só agora que eu conheço a Dor,
Só agora é que sei o que é Saudade.

11/11/35

NO MAR

Quando vivias, se por meu dever
Eu fazia sozinho alguma viagem,
Ia sempre comigo a tua imagem
Como se eu não deixasse de te ver.

Agora, meu amor, como há de ser?
Vou sobre o mar, afasta-se a paisagem,
E estou perdendo aos poucos a coragem
Já não só de viajar, mas de viver,

Porque a tua imagem já não me acompanha
Por outras terras e entre gente estranha,
Pois tu volveste ao miserável pó...

Hoje, onde quer que eu viva vivo ausente,
E suplicia-me, entre tanta gente,
A terrível angústia de estar só.

Bordo do "Conte Grande".
21/10/35

NESSUM MAGGIOR DOLORE

Poeta da Dor, Poeta da Humanidade,
Que do Inferno ascendeste ao extremo viso
Das celestes regiões do Paraíso,
Disseste tremendíssima verdade!

Deu-me a Sorte, na minha mocidade,
O seu mais belo, o seu melhor sorriso;
Pôs no meu lar um astro e, de improviso,
Abriu-me as portas da felicidade...

Hoje o melhor do que me tinha dado
Arrebatou-me a Sorte de repente,
E em mágoa e dor me aflijo e me torturo,

Recordado as venturas do passado
Na infinita miséria do presente,
Na sombria incerteza do futuro.

São Paulo, 28/10/35

VERGONHA

Não sei se vivo ou se não vivo, nem
Se sou ou se não sou. Penso que existo
Porque sofro e que sei que a vida é isto.
Dor que vai, dor que fica, dor que vem...

Melhor que fora já não ver ninguém!
Que me serve dos outros ser benquisto,
Se o não sou de mim mesmo, pois persisto
Eu fruir da vida este ilusório bem?

De saudades viver, sem lenitivo
No sofrimento, é o último dever
Da incerta vida que me tem cativo.

E se em momentos cesso de sofrer,
Sinto certo vexame de estar vivo,
Tenho às vezes vergonha de viver.

03/08/35

SEGUNDA VIDA

A saudade em meu peito é uma cama de arminho,
Onde intacto repousa o teu corpo dormente,
Como ave a descansar no frouxel do seu ninho
Enquanto anda na lida o companheiro ausente.

Nela tu dormirás o teu sono inocente
Enquanto eu existir, angustiado e sozinho;
Eu te acalentarei nesse sagrado ambiente
Ao sol do meu amor, ao luar do meu carinho.

Meu amor, meu amor, meu amor! A Saudade
Insufla uma outra vida à divina matéria
Em que a morte apagou a luz da divindade.

E ess'outra vida é que, ou terreal ou sidérea,
Me ajuda a suportar na minha soledade
Esta angústia, esta mágoa, esta ânsia, esta miséria.

09/06/35

TRANSFORMAÇÃO

Tudo é transformação, tudo é mudança
No caminho da Vida perlustrado
Que há no aspecto do ancião, todo enrugado,
Da cabecinha rósea da criança?

O corrosivo Tempo não descansa
E por onde passou deixou marcado
O indelével sinal do tempo andado
Sem possibilidade de esquivança.

Nada persiste igual perpetuamente,
Seres ou sentimentos, coisa alguma
Tudo obedece à lei da mutação

Até, querida, o meu amor veemente
Transformou os seus ímpetos em uma
Suavíssima e pura adoração.

SONHO...

Ah, deixem-me sonhar que vens ainda
Junto de mim, em espírito e presença;
Emprestem-me esta nebulosa crença
De que nem tudo desaparece ou finda.

Crer numa tua inopinada vinda,
Que as tristes leis da vida iluda ou vença,
Ter outra vez essa ventura imensa,
Das ilusões ter a ilusão mais linda...

E então, Noiva outra vez por um momento,
De novo atando os desatados laços,
Eu quisera, no meu conhecimento,

Dar para ti meus derradeiros passos,
Soltar no último beijo o último alento
Na ambicionada glória dos teus braços.

02/08/35

ÚNICA FORÇA

Eu não sei se te amei nem se te quis,
Se te adorei nem se te idolatrei:
O sentido – a palavra não no diz,
E é sem palavras que ora o sinto e o sei.

Riquezas imperiais, pompas de rei
Não bastam para um homem ser feliz.
Tive em ti mais que tudo a que aspirei,
E para tudo ter bem pouco fiz;

Porque o tesouro imenso de paixão,
Que tu eras, vieram-me depor
Os Numes imortais na minha mão.

Agora, tudo que era gozo – é dor,
E só me impulsa o morto coração
A tua imagem viva, oh! meu amor!

11/06/36

28 DE NOVEMBRO
(1887-1934)

Há quarenta e sete anos, neste dia
O milagre se deu, como um clarão:
Num templo um sacerdote nos unia
Unindo a tua mão à minha mão.

E esse clarão de amor e de alegria
Na lareira ficou do coração,
A irradiar a límpida harmonia
Nos murmúrios da minha adoração.

Hoje... é um dia de luto e de tristeza:
Recordações, saudades, mágoas – Dor.
Pagaste o teu tributo à Natureza.

Mas se é extinto o clarão, do seu fulgor
Resta-me a luz, velada mas acesa,
Destes quarenta e sete anos de amor.

28/11/34

QUERO-A!

Parece incrível; e no entanto é certo.
Tu te finaste, e eu posso ainda estar vivo!
Mas, para sempre, sei que sou cativo
Deste areal sem fim do meu deserto.

Nem vislumbre de oásis, longe ou perto.
Nem tênue fio d'água lenitivo.
Se os há, não lhes dirijo o passo incerto
E a tudo, fora a minha Dor, me esquivo.

Quero que esta me punja e que me fira,
Quero dar-lhe em meus cantos esplendor,
Preito de amor da minha pobre lira.

Quero-a: É o que resta, e só, do nosso amor;
E mais pungentes, se ela se extinguira,
Eu teria saudades desta Dor.

14/11/36

TRAMBOLHO

Acabou-se! Por que lutar em vão, se a vida
Tem de ter um final, como teve um começo?
Pouco a pouco a velhice as forças invalida
E marchamos, por fim, de tropeço em tropeço.

A vida é Amor. Ele a engendrou e este é o seu preço.
Se a razão dele acaba, a dela está perdida.
Não pode merecer-te ainda hoje o mesmo apreço
De quando pelo amor e o sonho era nutrida.

Que andas pois a fazer neste mundo, ó velhinho,
Se é só pranto e saudade a tua vida agora
De pássaro cantor sem árvore e sem ninho?

Não és mais que um intruso e um trambolho, nesta hora,
Nesta hora moça e inquieta, a estorvar-lhe o caminho.
Toma o teu barco solitário – e vai-te embora...

15/08/36

II

Não por ser um intruso e um trambolho, eu irei.
Não vos afadigueis: partirei qualquer dia.
Se Aquela para quem e por quem eu vivia
Já partiu, não sei bem porque ainda aqui fiquei.

Talvez para sofrer, eu que a vida gozei,
Graça a Ela, em só doçura e só poesia.
Mudada em dor perene essa imensa alegria,
Com a minha saudade imensa – partirei.

Depois, juntados sob a mesma pedra fria,
Creio que a mesma dor volva a ser harmonia
Nessa renovação do desfeito casal.

E a muda pedra então se há de tornar sonora...
E os Poetas a ouvirão ressoar em cada aurora
Os versos de um epitalâmio triunfal.

16/08/36

NOTAS DA MINHA GAVETA

Setenta e oito anos. Bem vividos?
Bem, alguns. – Outros, mal talvez, conforme...
Mas como analisar a soma enorme
Dos seus dias diversos tão compridos?

Interroga a consciência, que não dorme,
Verás que os na memória recolhidos,
Os felizes e os bons, são anos idos;
Dos outros resta a sombra desconforme...

Mas eu da minha parte não me queixo:
Porque as notas que guardo na gaveta
Marcam-me os anos pelo branco seixo.

Só agora, às viradas da ampulheta
Todos os anos que eu aflito deixo
Ficam marcados coma pedra preta.

02/01/36

ANO BOM

"Ano novo. Ano Bom! Ano feliz!"
Dizem todas as bocas da Esperança.
Única voz, porém, que se não cansa,
A da minha Saudade não m'o diz.

Só Tu, que sabes as razões sutis
Da perfeição ideal da nossa aliança,
E em tempos de tormenta ou de bonança
Com que profundo e igual amor te quis,

Só Tu verás em mim o que é invisível:
O diário pranto da alma dolorida,
E ouvirás do meu canto o triste som...

Que eu venha a ter, querida, é bom possível
Ainda alguns Anos-Novos nesta vida;
Mas nunca mais terei um Ano-Bom.

01/01/36

OBRA DE ARTE

I

Que bela construção, a nossa Vida,
Ó meu amor, em nosso amor firmada!
Sem cabedais, nem materiais, nem nada,
Vimo-la aos poucos, como um sonho, erguida.

E aos poucos, do Trabalho protegida,
Com o cimento do Amor consolidada
E a silharia da Vontade alçada,
Ei-la banhada em sol e concluída!

O culto da Poesia e da Beleza
Nela transparecia em cada parte,
Com o amor integral da Natureza.

Hoje, que é extinta, posso assegurar-te
Que, toda de harmonia e gentileza,
A nossa vida foi uma obra de arte.

26/02/36

II

Porque, querida, o nosso amor criou
Um ambiente de vida, uma atmosfera
Impregnada do olor da Primavera,
Em que ele, sempre em flor, frutificou.

Dele, nada contigo se acabou,
E a sua obra só mudou de esfera;
Ele se fez maior do que antes era
E a dor suprema ainda o sublimou:

Fê-lo mais claro, mais profundo e isento,
Como irradiante globo de cristal,
Livre do pó, da terra, do ar, do vento;

Purificado enfim na água lustral
Do pranto, em que se estila o sofrimento,
É perfeito, é patético, é imortal!

12/04/36

O OUTRO

Eu imagino às vezes não ser eu,
Mas outro ente, outro homem desgraçado,
Que marcha à minha frente, ou que ao meu lado
Vai seu passo ajustando pelo meu.

Caminha triste, como quem perdeu
O bem da vida, que lhe fora dado
Pela mão generosa do seu fado,
E carrega uma alma que morreu.

Eu sigo o seu caminho, a longe ou perto
Pela rua, a pensar, medroso e incerto,
Se sou bem **este** ou não serei **aquele**...

E em casa ele em meu leito cai de bruços,
Em gritos abafados e em soluços...
E eu fico então com tanta pena dele!

12/11/35

APARÊNCIA

Ó divina Ateneia, ó meu amor,
Amor sentimental e espiritual,
Meu ar e minha luz, meu lume astral,
Minha água, meu pão e meu calor;

Minha energia, meu poder vital,
Minha Terra de Anteu e meu valor,
Meu mar, meu firmamento, meu fulgor,
Minha aurora, meu dia triunfal;

Vésper na minha tarde a rebrilhar,
Minha estrela da noite e meu luar...
Tudo, tudo perdi com te perder!

Que vida posso agora ter sem ti?
Para os outros pareço ainda viver,
Mas para mim sei bem que já morri.

19/10/36

RELEMBRANDO

Penso em ti... Torno a ver-te, moça e pura,
Pondo na minha a tua mão divina,
Na Igreja, de solene formosura,
De santa Justa e de santa Rufina.

Vejo-te Mãe, a dar a apojadura
Dos teus seios à prole pequenina,
Rio de amor em ondas de ternura,
Cantarolando versos em surdina.

E, Matrona, a ensinar bondade e afeto;
E mais tarde, já quando encanecida,
A levar luz e amor a cada teto.

Depois, num dia horrível e funesto,
Eu te assisti... Mas não, minha Querida,
Não, não quero lembrar o horror do resto.

28/10/36

COMPANHEIRO DE VIAGEM

Anda um morto comigo. E me acompanha
Por toda a parte. A sombra que projeta
É igual à minha. E a mesma ignota meta
Nos atrai para a base da montanha.

Descemos juntos. Uma força estranha
Faz de nós dois uma junção completa.
Também ele será, como eu, poeta?
E a nossa semelhança é assim tamanha?

Não sei; não o vejo, que ele é vago e esquivo;
Apenas lhe vislumbro a sombra, e absorto
Paro, a pensar, receoso e apreensivo,

Ao ver-me só e em tanto desconforto,
Se de nós dois não será ele o vivo,
Se eu porventura não serei o morto.

15/03/36

O SER PERFEITO

Não sei se o teu amor me perdoou,
A mim, – o mais feliz dos homens felizes,
Traições mesquinhas, faltas e deslizes
Que logo me a consciência condenou.

São hoje dolorosas cicatrizes,
Chagas que o tempo mal cicatrizou.
Bem melhor me julgaste do que eu sou,
E nada me dizias, nem me dizes.

Mas o meu coração foi sempre isento
De toda a culpa, como o sentimento.
Não é perfeito nem quem mais o quer.

Esconde o homem melhor, dolo e maldade,
Muita ou pouca... E se houver na Humanidade
Um ser perfeito, deve ser mulher.

S. Paulo
07/04/37

NUM ALBERGUE

Há cinco anos, neste albergue, ausente
Do teu carinho, eu versos te escrevia,
Em que exaltado o amor transparecia
Pois tudo que é sentido é transparente.

Longe estivesse, tinha-te presente,
Porque a distância nunca te encobria,
E o mago Amor a mim te conduzia
Na misteriosa, na sutil corrente.

Já não é assim; já nos separa e afasta
A distância, no espaço ermado e mudo
Por infinita cada vez mais vasta.

Mas faço-te ainda versos, Sombra casta,
Sombra querida, Nada que ainda é Tudo
Na vida que eu arrasto ou que me arrasta.

S. Paulo
06/04/37

QUADRA TRISTE

Aqui, nesta cidade trepidante,
Por vales e por montes estendida,
Aonde, por me seguir, vieste dorida,
Como se fora mísera imigrante;

Aqui te viste a vez primeira diante
Da presença da morte, estarrecida;
Aqui perdeste um pouco da tua vida,
Saudosa do teu pátrio mar distante...

Aqui vivemos uma quadra triste,
Anos em que entre lágrimas e dores
Por três vezes de luto te vestiste.

E eu já vencido, e tu dolente e langue,
Aqui deixamos dois botões de flores,
Partes de nossa carne e nosso sangue.

S. Paulo
10/04/37

SEMPRE

Não te falo de amor, ó criatura,
Pois nem, agora, a tua sombra vejo.
Da minha boca de homem, boca impura,
No ar se perde a pureza do meu beijo.

Esgotado o veneno do desejo,
O amor humano já se transfigura;
Se o hábito de amar em mim perdura,
Nada que amor pareça agora almejo.

No entanto, como nunca amei – eu amor!
E é um sentimento que não tem sentido,
Que será para todos incoerente.

Por isso o não confesso nem proclamo
E estando, o objeto desse amor, perdido,
Loucura ou não, - amo-o perdidamente.

07/04/36

NÃO PODE SER

Este doutor que aqui me examinou (*)
Com a sua moderna "aparelhagem",
Mostrou-me que a Vida na romagem
Já a minha idade a média ultrapassou.

Até os cento e vinte anos, me augurou,
Eu deverei seguir a minha viagem.
Mas para tanto não terei coragem,
Nem o seu vaticínio me alegrou.

Perdida a imensa, a ideal felicidade,
Que só contigo, o meu amor, gozei,
Isso fora injustiça e crueldade;

Pois se do meu destino isso for lei,
Serão mais quarenta anos de saudade
Neste ermo escuro e triste em que fiquei.

31/03/37
Poços de Caldas

(*) Dr. C. Perrone.

A TERRA

Arrasta os pés, velhinho, arrasta os pés,
Mas não julgues que a Terra te convida.
Ela nunca dá a morte, mas a vida:
Deu sol a Josué e água a Moisés.

E só de sol e de água ela é nutrida,
Para a ti te nutrir, - seu filho que és.
O Tempo é que nos fere de través
Até nos ver a vida consumida.

Guarda-te pois do Tempo e adora a Terra,
Mãe que o melhor que tinha te doou;
E até o golpe da morte, que não erra,

E até sentires que a hora extrema soou,
Lembra-te que ela no seu seio encerra
Aquela que adoraste e te adorou.

24/03/37
Poços de Caldas

UNIÃO ETERNA

"As nossas almas já
Se uniram de tal sorte,
Que nem a própria Morte
No-las desunirá"

F. A. – 1886. "Lírica" – 1887

Já mais de meio século comprova
A firmeza indelével do conceito.
Vi-te, aflito, expirar sobre o teu leito
E a tumba com o teu corpo entrar na cova.

Na minha idade nada se renova:
Sinto inda a ti o coração sujeito,
Como quando achei nele aquela trova
E sentia a tua alma no meu peito.

Se tenho – agora envolto em sombra espessa –
Na boca o vinho azedo e o fel do Cristo
E a coroa de espinhos na cabeça,

E se padeço e sofro de tal sorte,
É porque às nossas almas, depois disto,
Desuni-las não pôde a própria Morte.

17/02/37

ECO

Para cantar-te ajusto o canto à lira
Com perícia tamanha e tal e tanta,
Que por mais altas notas que desfira,
Sai-me a voz cristalina da garganta.

E sinto então que tudo vibra e canta
Em derredor; e quando a minha expira,
Ouço outra voz, que ao longe se alevanta.
E pelo espaço em frêmitos se estira.

É a voz possível da Posteridade,
Que traz da minha própria voz o encanto
E a mesma angústia e a mesma suavidade,

Que a mim retorna ungida do meu pranto
E me faz, ao pungir desta saudade,
Recomeçar o dolorido canto.

08/12/37

A MORTE DOS DEUSES

Em ti eu resumia toda a crença,
Toda a fé que outros têm na divindade.
Tendo-te a ti, tinha a felicidade
E dos ínclitos deuses a presença.

Santo não é quem pensa em santidade
E pode-o ser talvez quem nunca o pensa.
Que eras tu? – a Mulher, pequena e imensa,
Santa ou deusa, mas bem da Humanidade.

Em ti amei os desuses sobrehumanos,
Que me poupavam a traições e danos,
A malquerenças, a baldões, e apodos...

Mas tu morreste! e os céus, mudos e frios,
Vejo-os agora, meu amor, vazios,
Porque os deuses também morreram todos.

21/05/37

NO CENTENÁRIO DE LEOPARDI

Leopardi perguntou-me, ontem, se eu quereria
Nascer outra vez e uma outra vez passar
Por tudo que passei, tal qual, dia por dia,
Sem nada diminuir e sem nada alterar.

Respondi-lhe que sim, logo, sem hesitar.
O desgosto, a aflição, a doença, a nostalgia,
A miséria sem pão e sem teto, o pesar
De humilhações cruéis, - tudo ressofreria,

Contanto que na mesma estância brasileira
Tivesse o mesmo amor da mesma companheira,
Pois só por Ela eu soube ao certo o que era Amor;

E que, depois de a ter para sempre perdida,
Pudesse consagrar o meu resto de vida,
Como agora, a sofrer e a amar a minha dor.

11/07/37

24 DE SETEMBRO

(4º dia da Primavera)

Há três quartos de século nascias
Nesta antiga cidade colonial.
E eu, tão longe de ti, em Portugal,
Tinha cinco anos menos alguns dias.

Quem me diria, então, que tu serias
Da minha vida o portentoso ideal
E que por meu amor, amor total,
Mais tarde, a todo bem renunciarias!

Há cinquenta anos esse amor veemente
As nossas vidas nos uniu por fim,
E ficamos os dois sendo um somente.

A Primavera me mostrou assim
Que, no seu quarto dia, expressamente
Os deuses te criaram para mim.

24/10/37

VISITA AO SEU JAZIGO

Quase mil e cem dias se escoaram
Depois que te trouxemos para aqui.
E, desde o último instante em que te vi,
Outros tantos meus olhos te choraram.

Mas, se todos os dias que passaram
Nem um passou sem lágrimas por ti,
Não perdi tudo quando te perdi,
Que a mágoa e a dor são bens que me ficaram.

Se me deste, pouco antes do trespasse,
A mão movendo a acariciar-me a face
O último gesto de ainda vivo o amor,

Eu só te posso dar, no último alento,
Com idêntico gesto em pensamento,
Minhas últimas lágrimas de dor.

31/05/37

O MEU PÃO

"Dores d'alma curam-se com o esquecimento."

Eu, não. Eu não procuro o esquecimento
Para esquivar-me à minha imensa dor;
Se da morte nasceu do meu amor
Que o continue agora em sofrimento.

Nem busco minorá-la no torpor
Das distrações que iludem o tormento,
Nem dela desviar o pensamento
Que só nela desejo e quero pôr.

Ela me nutre o espírito faminto,
E o dessedenta como vinho ou água:
Quero senti-la sempre como a sinto.

Se eu pudesse ainda mais a aumentaria
Sem dela me queixar, sem dó, sem mágoa:
Porque a Dor é o meu pão de cada dia.

24/10/37

28 DE NOVEMBRO
(1887 – 1937)

Tal dia, há cinquenta anos, com certeza,
Foi o melhor da minha vida inteira.
Em tua fronte coroava-te a pureza
A esponsalícia flor da laranjeira.

Eras já para mim glória e grandeza
E trazias-me a sorte alvissareira,
Escol da ilustre raça Portuguesa
Renovada na terra Brasileira.

Mas da vida de amor e de harmonia
Cada vez mais perfeita, o sorvedouro
Da cega morte arrebatou-se um dia...

E hoje, onde está sepulto o meu tesouro,
Foi com soluços sobre a laje fria
Que eu celebrei as nossa Bodas de Ouro.

28/10/37

ONTEM-HOJE

Foi teu amor a minha glória; amor
E glória a que aspirei por ousadia,
Pois certo estava que não merecia
Um galardão tão alto e superior.

E, no entretanto, conquistei-o um dia.
Dia de beatitude e de esplendor!
Foi dos deuses um ínclito favor,
Mas também nenhum outro eu lhes pedia.

Tu baixaste até mim, radiante e pura,
E fui o homem mais rico da ventura,
Um milionário da felicidade.

Mas depois que te foste, eu, triste e só,
Sou o pobre mais pobre da cidade,
Tão pobre e miserável como Jó.

02/08/37

MEIA-VIDA

Estes poemas de dor e de saudade,
Em que aparece envolto em crepe o amor
São na minha atual vida interior
A única sombra de felicidade.

De duas vidas a vida quis compor:
Fez-se a união das duas, em verdade;
Uma porém morreu; resta a metade,
A pior, a sem lustro, a sem fulgor.

Mas esta mesma meia-vida, agora
Já nada tem a dar do que me deu,
Quando era inteira e generosa outrora.

Nem sabe esta alma se este corpo é meu,
E ando, como quem presto a se ir embora,
Cuida que ainda está vivo – e já morreu.

23/09/37

PANE ALTRUI

Eu, que não creio na sobrevivência,
Nem na imortalidade prometida,
Sei que espírito e alma são da vida
Não mais que a função nobre e que a excelência.

Mas quase todos creem noutra existência,
Além da que é por morte interrompida;
E é por isso, talvez, Morta querida,
Que nem sempre acredito em tua ausência.

Porém, sabendo que não estás presente
E que tudo que foste é hoje extinto,
Eu te sinto e te falo como um crente.

Mas, posto que não possa confirmá-lo,
É pela crença alheia que eu te sinto,
É pela fé dos outros que eu te falo.

16/12/37

A VENTURA

Os miseráveis versos que ainda escrevo,
São tudo que hoje tenho, - eu que era rico! –
E esta tristeza em que fiquei e fico
A tentar minorá-la não me atrevo.

Da sorte as quatro folhas do meu trevo,
Que já são feitas poeira verifico.
E um falcão negro rasga-me o bico
As aves todas do meu sonho e enlevo.

Por que é que julgo a vida uma tortura,
Se eu tive mais ventura que ninguém
E ela me ergueu a não sonhada altura?

Mas se ela o mal da vida torna em bem,
Quem pode saciar-se de ventura,
Se mal sente a ventura quem a tem?

07/08/37

ALMA MINHA GENTIL

(Paráfrase do mais belo soneto da língua)

"Alma minha gentil que te partiste",
Não de toda esta vida descontente;
Rodeada de amor, e amor fervente,
Desde a infância à velhice sentiste.

Nem sempre a vida para ti foi triste:
Antes, para viver alegremente,
Foi na base do amor por nós assente,
Que é o mais forte alicerce que ainda existe.

E quem fez tudo para merecer-te
E esse supremo bem nunca alcançou,
Sente a mágoa infinita de perder-te.

Tu foste o Amor para quem mais te amou
E é este horror de não tornar a ver-te
O que, do amor de outrora, me ficou.

02/05/38

PERPÉTUA ESSÊNCIA

Tinha-se o nosso amor espiritualizado
Numa sutil, e quase abstrata essência,
Como um aroma, etéreo e fino, concentrado
Em dois frascos iguais sem real aparência.

Tornara-o incorpóreo a sua transcendência
E o tempo o tinha tanto sublimado
Que nos deu, a ambos nós, como que outra existência
Na mesma vida, e num presente sem passado.

Quando veio a velhice e logo a ancianidade
Do amor ardente amorteceu-se o lume;
Mas deixou em nossa alma a mesma claridade.

Flor da vida, subiu conosco ao extremo acume,
E ao murchar nos legou, da mocidade
Para o resto da vida, o seu vivo perfume.

24/04/35

PÓSTUMO

Aconchega-te a mim: estás tão fria,
Posto que eu não sei bem se estou mais quente.
Mas é aconchegando-se que a gente
Um pouco de calor irradia

Não, não posso aquecer-te! Quem diria
Que chegarias a este estado algente,
Que nem te pode o meu amor fervente
Aquecer, como outrora te aquecia.

Nada bom, este nosso último leito;
Nem os dias de agora, sempre escuros...
Enfim, só o nosso amor ainda é perfeito.

E este frio! E a umidade destes muros!
Mas este nosso túmulo tão estreito
E os nossos velhos ossos são tão duros...

09/04/36

DORME...

Dorme me meu coração, dorme tranquila;
Enquanto ele bater nele estarás,
E não te acorde a dor que me aniquila,
Nem o ouças dizer-me: "Ela aqui jaz"

Esta, de que sou feito, humana argila,
Por ti no sofrimento se compraz:
Com as lágrimas rega, que distila,
Meu Horto de Oliveiras... Dorme em paz.

Dorme em paz, meu amor! Quero embalar-te
Nestas cantigas de tristeza e dó,
Embebidas de lágrimas sem arte.

E quando eu acabar, suplico só
Que a mim teus filhos venham misturar-te
Nas mesmas cinzas e no mesmo pó.

20/10/34

MAIO
(1934 – 1938)

Não me abandones, minha Estrela fiel,
Neste mês de agonia e de desgraça!
O abutre negro que sobre ele esvoaça
De mim desvie o rostro agudo e cruel.

Os infortúnios passam em tropel.
Um que por mim passou, que ainda hoje passa,
No límpido cristal da minha taça
O mel da vida transmutou-me em fel.

Mas não importa! pois quando me viste
(E eu t'o agradeço!) do meu céu tombar
E prosseguir no meu caminho, triste,

Porque eu pudesse a vida suportar,
Logo a fonte das lágrimas me abriste
E me deixaste a voz para cantar.

01/05/38

NÃO SERÁ ASSIM

Por mais de cinquenta anos de labor,
Teu gênio excelso produziu riqueza,
E o teu espírito, ativo e criador,
Serviu a vida, amou a Natureza.

Com a simplicidade e a singeleza
Com que da terra as árvores dão flor,
Tua imaginação nos deu beleza,
E bondade, e ternura, e luz, e amor.

Transformaste a tua vida num jardim,
Em que todas as flores davam fruto,
E que prodígio que é uma vida assim!

Se a Terra amada que te viu nascer
Não te pagar em glória o seu tributo
Ou não tem olhos ou não sabe ver...

01/08/37

O SÓ CONSOLO

Sei que não vivo; mas, enfim, vegeto,
Como da terra um ínfimo produto.
Contra a caducidade já não luto
Nem contrafaço o seu real aspecto.

Para uma vida que não tem objeto,
Para a minha alma viúva envolta em luto,
Para viver este último minuto,
Por lar me basta uma parede e um teto.

Do meu lindo passado me alimento;
E agora, em vez de pão cheiroso e louro,
São resíduos de sonho o meu sustento.

Alma em miséria, extinto o seu tesouro,
Só sorri quando posso urdir, atento,
Numa trama de seda um verso d'ouro.

06/04/38

VELHO TRONCO

Se ainda algum pedaço de raiz
Me prende à terra, já me sinto morto;
É de azevinho e cardos o meu horto:
Punge-me tudo quanto faço e fiz.

Já nada quero do que outrora quis;
Vou de longada ao derradeiro porto.
Só a Beleza ainda me traz conforto
E me faz, por instante, ser feliz.

Sou como um tronco anoso e carcomido
Que, envolvido de líquens e bolor,
Vive os restos do tempo já vivido;

Mas logo freme de ternura e amor
Se vê, num dos seus galhos renascido,
A palpitante graça de uma flor.

05/05/38

TUDO TE DEVO

Se me não vem de ti, Alma querida,
Alma excelsa e adorada, oculta e ausente
Mas sempre no meu espírito presente,
Esta renovação mental da vida;

De que fecunda origem não sabida
Poderá vir a inspiração ardente,
Esta sonoridade permanente,
Esta inédita musica esquecida?

De que jardim florido, de que estância
Extraterrena vem esta fragrância
De flor sem par que se desfolha em versos?

Vem de ti! De ti só, de mais ninguém:
Como os sons que me envolvem, no ar dispersos,
Tudo que é belo em mim de ti me vem.

20/05/38

COMO EM PRECE

Todas as noites, com as mãos erguidas,
        Eu te rezo uma oração,
Com expressões tão simples e sentidas
Como se as exalasse o coração.

Eu, que não creio em nada, como um crente
        Continuo a crer em ti:
Que de divino como tu, presente
Nunca ouvi nada, nem senti, nem vi.

Era em ti que eu sentia a divindade,
        Como a posso conceber:
Alguma coisa acima da verdade,
Como um ser que não há, mas pode haver.

Em ti ouvia as vozes que não falam
        E que ninguém pode ouvir,
Como as vozes dos sonhos, que se calam
Quando a consciência para de dormir.

Em ti eu via sempre o halo fulgente
        Daquelas santas de altar,
Diante das quais, contrita e reverente,
Se entravas numa igreja, ias rezar.

E o que em ti sentia, ouvia e via,
 Me faz agora supor
Que em ti, que eras da Terra, algo haveria
De misteriosa origem superior.

O que era ou é, não sei... Essência etérea
 De alguma potência astral?
Enfim, tu me mostravas que a matéria
Pode ser, de algum modo, imaterial.

Prestígio extraterreno, em que não creio,
 Não penso que o tenha alguém.
Mas esta chama que me abrasa o seio
E te sobreviveu, de onde é que vem?

Nada se(sei?), mas depois que tu partiste
 Foi o que só me ficou;
Além do pranto, que me é doce e triste,
Na minha vida tudo se acabou...

Acabou tudo? Mas eu vivo ainda,
 Sem ter esperança ou fé.
E nem desamo a Vida – que foi linda,
Que foi tudo que agora já não é.

Agora é dor, só dor. Poeta, adormece!
 À imagem da que morreu
Já deste a "boa-noite" da tua prece:
Bem vês que Ela também adormeceu...

Descansa, dorme. E sonha, adormecido,
        Que a Vida não é só dor.
Legou-te Ela um amor tão desmedido
Que em tua vida tudo é ainda amor.

03/04/35

FIAT JUSTITIA

Foste uma rara super criatura
Que viu a luz na terra brasileira;
De clara estirpe na progenitura
Foste, dinda por último, a primeira.

Minha excelsa e divina companheira,
Minha fonte de Amor e de ternura,
Espero que a tua terra, um dia, queira
Pôr-te da glória na devida altura.

Que veja o que por ela, em esforço rude,
Por mais de meio século fizeste,
No esplendor do talento e da virtude.
Que ela coteje o que após ti lhe reste
E dê de prêmio à tua excelsitude
Uma parte das glórias que lhe deste.

01/01/35

NÃO SEI...

Quando tu acabaste e eu vi tudo acabado
Na minha vida e tudo em ruína completa,
Deveria talvez conservar-me calado,
Numa concentração silenciosa e discreta.

Mas não pode a Razão sufocar-me a alma inquieta,
Nem o meu coração, pela dor esmagado,
Sustar o voo imenso ao pensamento alado,
Porque a alma que ficou era ainda a alma do poeta.

E pouco a pouco os versos vieram, latejantes,
Vozes do coração sangrante malferido,
Que gemia de dor a todos os instantes...

Fora, porém, mais nobre o ter-me resumido
À minha adoração íntima, como dantes,
Num culto de silêncio austero e recolhido.

06/02/38

DEDICATÓRIA DO "LIVRO DAS NOIVAS", DE JÚLIA LOPES DE ALMEIDA

A MEU MARIDO

"As nossas almas já
Se uniram de tal sorte,
Que nem a própria Morte
No-las desunirá"

"Lírica" Filinto de Almeida

Meu Filinto

Lês na minh'alma como em um livro aberto. Não tenho pensamento que te não comunique, desejo ou sonho que te não exprima. Ninguém, pois, melhor que tu, conhecerá a sinceridade destas páginas singelas, onde de vez em quando os nossos filhos aparecem, e que te entrego, certa de que serão queridas ao teu coração.

Não te dou um livro literário, mas dou-te um livro sentido, a que segredei todas as minhas alegrias e tristezas.

Tu, que tens, com igual carinho e bom conselho, comparticipado de umas e de outras, acolhe-o bem, que vai nele todo o amor da tua

Júlia.

Agradecemos aos apoiadores do Catarse, que ajudaram a viabilizar essa edição:

Noêmia Maestrini, Beth Araújo, Cláudio Lopes de Almeida, Júlia Moreira Ramos de Souza, Carlos Alberto Figueiredo Pinto, Dianzorena, Denis Jucá, Felipe Augusto Kopp, Ruth Danielle Freire Barbosa Bezerra, Fabio Di Pietro, Maria Carolina Amendolara, Daniel Prestes da Silva, Maria Celina Monteiro Gordilho, Anna Faedrich Martins Lopez, Gabriela Simonetti Trevisan, Nilton Resende, Luíza Dias, Ana Carolina Silva Chuery, Haroldo Ceravolo, Flavio Foschia, André Franciosi, Carolina Montagna, Cristiana Faria Valente do Couto, Maria Inês Farias Borne, Bruno Guaranys, Alex Dumbrosck, Luish Moraes Coelho, Pedro Lopes, Marco Antonio Konopacki, Renata Sanches, Luciana Fátima, Bianca Diara, Virgínia Souza Montarde Flores, Edienliv Adelia de Sáles Lins, Alexandra Mettrau G. G. P. Guedes, Claudia Araujo, Heniane Passos Aleixo, Danielle Dayse, Patricia Maria Peixoto Azevedo, Claudia Magalhães Khair Cunha, Luana Muzy, Fernando da Silveira Couto, Diogo Vasconcelos Barros Cronemberger, Jaqueline de Almeida Oliveira, Oracir A. P. Prado, Maria Beatriz Fontes de Andrade, Flavio Azevedo.